시크릿을 되찾다

The Lost Secrets of Manifestation
소망달성의 잃어버린 비밀

송 쳉지앙 Song Chengxiang

김어진 옮김

저자에 대해

송 쳉지앙은 "소원이루기 속성 코스"의 저자입니다. 그의 글은 수많은 사람들이 삶의 질을 크게 바꾸고 자신의 진정한 욕망을 쉽고 간편하게 성취하도록 돕습니다. 최근에는 모리 젤코비치(Morry Zelcovitch)와 함께 강력한 마인드 프로그래밍 시스템인 퀀텀 마인드 파워(Quantum Mind Power)를 개발하기도 했습니다.

시크릿을 되찾다

발 행 | 2024년 7월 25일
저 자 | 송 쳉지앙 Song Chengxiang / 김어진 옮김
펴낸이 | 한건희
펴낸곳 | 주식회사 부크크
출판사등록 | 2014.07.15.(제2014-16호)
주 소 | 서울특별시 금천구 가산디지털1로 119 SK트윈타워 A동 305호
전 화 | 1670-8316
이메일 | info@bookk.co.kr

ISBN | 979-11-410-9737-0

www.bookk.co.kr

목차

Lesson 1. 구하라, 주실 것이요

"**구**하라, 주실 것이다." 이 말을 수도 없이 들어봤을 것입니다. 이는 오직 이야기와 영화에서만 해당되며, 당신에게는 결코 일어나지 않을 거라 생각할지도 모릅니다. 하지만 이것은 당신을 포함한 모든 사람에게 통용되는 보편적인 진실이라고 자신 있게 말할 수 있습니다.

오늘 이 진실의 진정한 의미와 이 원칙에 따라 살 수 있는 단계별 프로세스를 밝히려고 합니다. 기법을 밝히기 전에, 왜 이 법칙이 완벽하게 작동하는지, 그리고 왜 이것이 절대적인 진실인지 함께 알아보고자 합니다.

과학자들은 수세기 동안 인간의 뇌를 연구해왔습니다. 그들은 뇌의 구조를 매우 잘 알지만, 우리의 생각이 어디서

오는지 찾는 데는 실패했습니다. 아마도 결코 성공하지 못할 것입니다. 왜냐하면 생각은 뇌를 통해 나오지만, 우리 뇌에서 만들어지지 않기 때문입니다. 그렇다면 실제로 어디에서 오는 것일까요? 생각은 모든 것이 구현되는 순수하고 통일된 마음의 장(場)에서 옵니다. 어떤 사람들은 이 장을 유니버셜 마인드, 또는 우주의 마음이라고 부르고, 어떤 사람들은 신 또는 근원 에너지라고 부릅니다. 기본적으로 같은 의미입니다. 그것은 생각의 기원, 당신과 나의 기원, 이 세상 모든 것의 기원입니다. 우리는 모두 이 장의 연장(延長)이며, 우리 모두 이 장과 하나입니다. 바다와 파도를 생각해 보세요. 파도를 볼 때, 우리는 수백만 개의 다른 패턴을 보며, 서로 모두 다르고 별개라고 생각합니다. 하지만 근본적으로, 모든 파도는 바다의 연장입니다. 같은 의미에서 우리는 모두 통일장(統一場)의 확장입니다.

우리와 통일장 또는 신(神)은 하나이기 때문에, 우리의 생각은 신의 생각, 우리의 욕망은 신의 욕망입니다. 신이 자신의 욕망을 충족시키지 못할 거라고 생각하나요? 물론 그렇지 않을 겁니다. 그렇다면 우리는 왜 우리의 욕망에 대해 걱정해야 할까요? 무엇이든지 우리가 요구하는 것은 우리에게 주어집니다.

　그렇다면 논리적으로 다음과 같은 질문이 나올 수 있습니다. 왜 나는 여전히 고군분투하는 삶을 살고 있을까? 왜 나는 아직도 불안과 불행을 경험하고 있을까? 답은 간단합니다. **지금 경험하고 있는 것이 무엇이든 간에, 과거 어느 시점에서 당신이 그것을 초대하거나 요청한 것입니다.** 불안해하고 걱정할 때마다, 당신은 같은 것을 더 요청하고 있습니다. 우리는 항상 무의식적으로 요청하고 있으며, 대부분의 경우 부정적으로 요청하고 있습니다.

　우리는 부정적인 세계에 살고 있습니다. 대부분의 사람들은 항상 부정적으로 생각합니다. 누구를 탓할 필요가 없습니다. 이것이 삶이 작동하는 방식입니다. 이러한 부정적인 힘을 극복하지 않고는 성장할 수 없습니다. 중력을 극복하지 않고는 산을 오를 수 없듯이 말입니다. 그렇다면 문제는, 어떻게 하면 이러한 부정적인 힘이나 생각을 극복할 수 있을까 하는 것입니다. **그것을 긍정적인 것으로 대체함으로써 극복할 수 있습니다.** 말하기는 쉬워도 실천에 옮기기는 어렵습니다. 그렇게 할 수 있는 사람이 거의 없다는 것을 나는 알고 있습니다. 지난 몇 년 동안, 나는 세계 최고의 대가들로부터 매우 심오하고 강력한 기술을 배웠습니다. 그 기술은 적용하기가 매우 쉬우면서도 강력합니다. 장담하건대, 그것을 적용하기만 하면, 당신도 며칠 내에, 때로는 즉각적으로 혜택을 볼 수 있을 것입니다!

의도를 분명하게 하라!

받기 위해서는 먼저 요청해야 하고, 무엇을 요청할지 확실히 알아야 합니다. 우리는 매일 6만 가지 생각을 합니다. 어떤 생각이 중요한가요? 그리고 많은 생각이 서로 충동합니다. 런던에 가려고 하지만 동시에 뉴욕에도 갈 생각을 하고 있다고 상상해보세요. 그렇다면 우주는 어떤 것을 성취해야 할까요? 사실 둘 다 충족시킬 수 있는 방법은 없고, 어떤 결과도 나오지 않을 것입니다. 그래서 무엇을 요청할지 명확하게 하는 것이 첫 번째 중요한 단계입니다.

테크닉 1. 의도 쓰기

원하는 것을 명확히 하기 위한 첫 번째 기술은 의도 쓰기라고 하는 것입니다. 이 기술은 브라이언 트레이시(Brian Tracy)가 만든 것이지만, 더 잘 작동하도록 조금 수정했습니다. 이 기술은 다음과 같이 사용합니다. 매일 아침 일어나서, 그리고 매일 밤 잠자리에 들기 전, 원하는 것을 의도의 형태로 적는 것입니다. 이를 테면 이런 식입니다.

"나는 지금 …하기로 의도한다. 나는 이것 또는 이보다 더 좋은 것을 받아들인다."

만약 새 BMW를 가지고 싶다면, 당신은 그렇게 말해야 합니다.

"나는 지금 새 BMW가 나타나기를 의도한다. 나는 이것 또는 이보다 더 좋은 것을 받아들인다."

나는 이 형식이 매우 강력하다고 믿기 때문에 문구를 바꾸는 것은 권하지 않습니다.

모든 의도를 적고 나면, **"나와 관련된 모든 이들에게 가장 큰 혜택을 주는 방식으로 이것 또는 이보다 더 좋은 일이**

일어나게 해주십시오. 감사합니다, 감사합니다, 감사합니다."라고 덧붙이세요.

정확히 내가 말하는 대로 하세요. 말과 형식을 바꾸지 마세요. 왜 이 말이 그렇게 중요한지 설명할 충분한 여유는 없지만, 나를 믿으세요. 사용해 보면 결과를 보게 될 것입니다.

테크닉 2. 내면의 CEO와 거래하기

이것은 내가 밥 샤인펠트(Bob Scheinfeld)에게서 배운 기법입니다. 작은 상자를 준비해서 당신만이 접근할 수 있는 개인적인 공간에 두세요. 종이에 당신이 가장 바라는 것을 적어서 상자에 넣으세요. 밥이 내면의 CEO라고 부르는, 내면의 상위자아(또는 하느님)와 거래를 해야 합니다. 거래라는 말은 이 상자에 무엇을 넣든, 그것이 당신에게 중요한 것이어야 한다는 뜻입니다.

이 두 가지 기법을 사용하면, 통일장에 성공적으로 요청을 게시할 수 있을 것입니다.

통일장에 연결하기

테크닉 3. 15분의 짧은 명상

아침에 15분, 저녁에 15분 명상하세요. 호흡에 집중하세요. 마음이 방황하는 것을 알게 되면 주의를 다시 호흡으로 가져오세요. 이 기법은 통일장과 다시 연결하고 에너지를 회복하는 데 도움이 됩니다. 통일장은 연결을 느낄 때 가장 잘 작동합니다. 이 간단한 기법은 당신의 삶에 큰 변화를 가져올 것입니다. 날 믿으세요.

다음 두 가지 기법은 모든 부정적인 장애를 제거하고 통일장과 조화를 이루게 하여 바람이 구현되는 속도를 올려 줄 것입니다.

테크닉 4. 17초의 플립 스위치

이것은 내가 좋아하는 기법으로, 저명한 로버트 앤소니 박사에게서 배운 것입니다. 이것은 내 삶의 질을 극적으로 변화시켰고, 당신의 삶도 변화시킬 것입니다. 대부분의 자기계발 프로그램은 효과를 발휘하지 못하는데, 이는 현재 순간을 다루지 않기 때문입니다. 부정적인 감정이 있을 때, 우리는 그것을 그 순간에 교정해야 합니다. 감정이 쌓이도록 허용하지 말아야 합니다. 이것이 바로 플립 스위치(flip switch)가 하는 일입니다. 낮 동안, 가끔씩 최소 17초 정도는 좋은 감정에 대해 생각하세요. 생각하면 기분이 좋아지는 사람이나 사물을 떠올리고 감사하세요. 무엇이든지 기분이 좋아지는 것을 생각하고, 17초 동안 그것에 집중하세요. 기분이 나쁠 때 이렇게 하면 기분이 좋아질 수 있습니다. 기분이 좋을 때도 이렇게 하면 기분이 훨씬 더 좋아집니다. 당신에게 감사하다고 느끼는 것들, 즐기는 것들의 목록을 만들라고 제안하겠습니다. 하루 동안 여러 차례 그 목록을 보고 17초 동안 집중하세요. 당신 삶에서 극적인 변화를 보게 될 것입니다.

테크닉 5. 3분 파워포즈

이것은 **존 하리차란**(John Harricharan)의 유명한 3분 파워포즈(3 minute power pause) 기법입니다. 이것은 매력적으로 작동합니다. 이 연습을 하기 전에, 지금 어떤 문제가 있다고 해도 그것을 잠시 내려놓고 자신이 생각하고 싶은 것을 생각하는 데 3분밖에 걸리지 않는다는 점을 상기하세요. 3분 안에 무엇이든 생각할 수 있습니다. 연습은 3단계로 구성됩니다. **1단계 : 문제와 연결 끊기.** 일단 문제를 떠나서 다른 무언가를 생각하면 이 단계는 끝납니다. **2단계 : 만약 욕망이 실현되었다면 어떻게 느낄지** 생각하세요. 실제로 마음속에서 경험하세요. **3단계 : 감사하다고 말하고 감사함**을 느끼는 것입니다. 이것들은 모두 3분 안에 끝납니다. 간단하죠? 그럼 해보세요.

프로세스를 신뢰하라

욕망이 채워질지 걱정될 때가 있을 것입니다. 그럴 때는 반드시 진실을 상기해야 합니다. 여기 내가 진실을 상기하기 위해 나 자신에게 하는 말이 있습니다.

"내 안의 생명은 존재하는 모든 생명과 불가분하게 연결되어 있으며 전적으로 나의 개인적인 발전에 헌신하고 있다."

내가 사용하는 두 번째 대본은 로버트 앤소니 박사의 "빠른 실체화(Rapid Manifestation)" 프로그램에서 나온 것입니다.

"내가 찾는 것이 나를 찾고 있다. 나는 그것이 어떻게 내가 올지에 대해서는 내려놓고 내 심장이 바라는 것에 집중한다. 내 안에 있는 나의 상위자아(Higher Self)가 그것을 실현시키는 방법을 알고 있으므로, 나는 긴장을 풀고 놓아버린다. 바람을 충족하기 위해 필요한 모든 것이 사랑스럽고 조화롭게 내게 끌려온다. 나는 이것 또는 이보다 더 좋은 것을 받아들인다. 나는 준비되어 있고, 수용적이며 감사한다. 그리고 그렇게 된다."

이러한 기법을 적용하면 며칠 내로 멋진 결과를 볼 수 있을 것입니다.

Lesson 2. 진정으로 효과적인 확언법의 궁극적인 비밀

수 세기 동안 성공한 사람들이 확언을 사용해 왔습니다. 확언은 많은 평범한 사람들이 인생에서 평범하지 않은 결과를 이루어내도록 도왔습니다. 수많은 실패를 성공으로 돌리기도 했습니다. 또 인류 발전의 역사에서 많은 기적을 만들어냈습니다. 그러나 확언을 사용하는 사람 대다수에게는 확언이 효과를 발휘하지 않습니다. 왜 그럴까요? 사람들이 확언 기법을 사용할 때 놓친 요소는 무엇일까요? 나는 끊임없이 스스로에게 이런 질문을 하고 답을 찾습니다. 그 결과, 어떤 책도 완전한 답을 주지 못합니다. 한 권의 책에 제시된 몇 가지 팁은 특정 상황에 효과가 있지만, 다른 상황에서는 그러지 못합니다. 다른 책들은 다른 상황에서 효과 있는 다른 팁을 주지만, 이 상황에서는 그렇지 않습니다. 나는 비효율적인 것들을 테스트하고 걸러냈고, 궁극적으로 효과적인 비밀이라고 부르는 것만 남겼습니다.

확언의 목적

효과적인 기법을 제공하기 전에, 확언의 진정한 목적을 이해해야 합니다. 간단히 말해서, 확언의 목적은 의식적인 마음에서 잠재의식으로 명령을 전달하는 것입니다. 잠재의식은 그것이 진실이라고 받아들이면 무엇이든지 그것을 현실로 만들기 위해 필요한 모든 것을 할 수 있는 능력을 가지고 있습니다. 확언의 목적은 잠재의식에 메시지를 전달하고, 메시지가 사실이라고 믿게 하는 것입니다. 그래서 이것은 우리를 효과적인 확언의 첫 번째 요소로 데려갑니다.

1. 확언은 잠재의식이 믿을 만한 것이어야 합니다.

사람들이 사용하는 많은 확언이 이 첫 번째 단계에서 실패합니다. 사람들은 긍정적인 반응을 바라면서 잠재의식에 비현실적인 메시지를 주는 경향이 있습니다. 만약 당신이 파산한 상태인데 스스로에게 "나는 1년에 10만 달러를 번다."라고 말한다면, 이것이 당신 마음에 믿겨지겠습니까? 몸이 완전히 망가져 있는데 "나는 매우 매력적이다."라고 말한다면, 마음이 이것을 믿겠습니까? 글쎄요.

현재 빈털터리인데 매년 10만 달러를 벌고 싶다면 어떻게 해야 할까요? 몸매가 좋지 않은데 자신을 매력적으로 만들고 싶다면 어떻게 해야 할까요? 가장 쉽고 좋은 방법은 "선택한다"라는 단어를 확언으로 사용하는 것이라고 생각합니다.

"나는 1년에 10만 달러를 번다."라고 말하는 대신,
"나는 1년에 10만 달러를 벌기로 선택한다."라고 말하세요.
"나는 매우 매력적이다"라고 말하는 대신,
"나는 사람들이 나를 매력적으로 본다고 느끼기를 선택한다."라고 말하세요.
차이가 느껴지나요?

2. 잠재의식은 증거를 찾습니다.

확언을 수천 번 반복해야 잠재의식에 각인할 수 있다는 오해가 있습니다. 이것이 반드시 사실인 것은 아닙니다. 확언을 마음 깊이 새기기 위해 반복법을 사용할 수 있지만, 더 쉬운 방법이 있습니다. 그것은 증거를 찾을 때, 자신의 확언을 진술하는 것입니다.

많은 사람이 고통과 돈을 연관시키기 때문에 가난한 상태에서 벗어나지 못합니다. 그런 사람은 돈을 쓸 때마다 청구서, 대출금 따위를 생각합니다. 이는 자동적으로 궁극적인 고통으로 이어질 것입니다. 당신을 부자나 가난뱅이로 만드는 것은 돈에 대한 당신의 감정입니다.

어떻게 하면 이것을 우리에게 유리하게 만들 수 있을까요? 돈을 쓸 때 고통을 느끼는 대신, 즐거움을 돈과 연관시키면 어떨까요? 다음에 물건을 사면서 돈이나 신용카드를 꺼낼 때, 자기 자신에게 이 확언을 말하세요. "나는 항상 충분히 쓸 수 있는 것 이상을 가지고 있다."

그런 다음 자신의 기분을 살피세요. 이것은 잠재의식이 증거를 찾으려 하기 때문에 효과가 있습니다. 주머니에 약

간이라도 돈이 남아 있는 한, 이 확언은 언제나 진실이기 때문에, 잠재의식은 그것을 믿을 것입니다.

첫 번째와 두 번째 방법을 결합하여 이렇게 확언하면 어떨까요. "나는 항상 충분히 쓸 수 있는 것 이상을 가지고 있다고 느끼기로 선택한다." 돈을 쓸 때 이 확언을 말하세요. 그리고 어떻게 느껴지는지 살피세요. 수천 번 반복할 필요는 없습니다. 실제 생활 속 증거는 잠재의식이 확언을 믿게끔 할 것입니다.

3. 확언은 감정을 유발해야 합니다.

잠재의식에 대한 사실은 말이 아니라, 감정과 느낌을 통해서만 소통할 수 있다는 것입니다. 느낌을 끌어내기 위해 사용할 수 있는 두 가지 방법이 있습니다. 첫 번째는 감정이 담긴 말을 하는 것입니다.

"즐거운, 즐길 만한, 편안한, 기쁜" 등과 같은 단어들이 효과적으로 작용할 것입니다. 두 번째 방법은 상상력을 이용하는 것입니다. 당신의 확언에 진술된 상황이 이미 이루어졌다고 상상해보세요.

그 상황 속에 있는 자신의 모습을 보고 감정을 느껴보세요. (이어지는 글에서 효과적인 시각화를 위해 더 많은 세부 정보를 제공하겠습니다. 계속 읽어주시기 바랍니다!)

4. 확언은 3P를 준수해야 합니다.

3P란 긍정적이고(Positive), 현재시제(Present Tense)를 써서, 개인적인(Personal) 내용을 담아야 한다는 것을 말합니다.

확언은 긍정적으로 진술해야 합니다. "나는 뚱뚱하지 않다."고 말하는 대신, "나는 날씬함을 유지하기로 선택한다."고 말하세요. 그 이유는 마음이 "나는 뚱뚱하지 않다."의 의미를 알기 전에 먼저 뚱뚱하다는 것이 무엇을 의미하는지 생각해야 하기 때문입니다. 그래서 그렇게 진술하는 것은 필연적으로 뚱뚱하다는 느낌으로 이어질 것입니다.

확언은 현재시제로 담아야 합니다. 많은 책에서 이것을

언급합니다. 하지만 나는 어느 정도만 여기에 동의합니다. 만약 "나는 고급차를 가지고 있다."고 말한다면, 마음은 당신을 믿지 않을 것입니다. 여기서 이것을 포함한 이유는, 첫 번째 기법과 결합하면 완벽하게 작동할 것이기 때문입니다. 자, "나는 고급차를 갖기로 선택한다."고 말하세요. 마음은 그것을 현실로 가져오기 위해 최선을 다할 것입니다.

확언은 개인적인 것이어야 합니다. 잠재의식은 다른 사람이 아닌 오직 당신을 위해서만 작동합니다. "앤은 나를 사랑한다."라고 말해도 효과가 없을 것입니다. 왜냐하면 당신은 앤을 통제할 수 없기 때문입니다. 이제 "나는 앤이 나를 정말로 사랑한다고 느끼기로 선택한다."고 말하세요. 이번에는 당신이 통제할 수 있습니다. 왜냐하면 자신의 감정을 통제할 수 있기 때문입니다.

5. 자기계발 확언은 비교를 담아야 합니다.

"나는 자신감 있다."라는 말은 "나는 점점 더 자신감을 얻고 있다."만큼 효과적이지 않을 수 있습니다.

더 좋은 확언은 "나는 점점 더 자신감 있게 느끼기로 선택한다."와 같은 것이 될 수도 있습니다.

비교를 사용하는 이유는 당신이 가질 수 있는 자신감에는 끝이 없기 때문입니다. 그렇지 않으면, 마음은 당신이 이미 충분히 자신감 있다고 판단해서 더 이상의 일을 할 필요가 없다고 생각할지도 모릅니다.

이 다섯 가지는 내가 확언에 대한 연구를 통해 발견한 가장 효과적인 기법입니다. 이 다섯 가지 기법을 모두 사용할 수 있다면, 당신의 결과가 놀라울 것이라고 확신합니다. 설사 여기에 명시된 기법 중 한두 가지만 사용하더라도, 당신의 확언이 훨씬 더 탁월한 효과를 보인다는 것을 알게 될 것입니다.

Lesson 3. 행복을 얻는 가장 쉬운 방법

사람들은 항상 그들이 원하는 것이 돈, 관계, 물질적인 소유물이라고 생각하지만, 그들이 진정으로 원하는 것은 행복입니다. 부와 건강, 관계는 행복의 보상일 뿐입니다. **행복은 우주와 조화를 이루는 진동 상태입니다.** 이미 알고 있겠지만, 같은 진동의 주파수끼리는 서로를 끌어당기는 경향이 있습니다. 그래서 행복의 진동은 더 많은 부와 더 나은 관계, 더 좋은 건강을 끌어당길 것입니다. 왜냐하면 이것들은 당신의 삶에 더 많은 행복을 더해줄 것이고, 그것들은 같은 진동 속에 있기 때문입니다. **돈을 쫓으면 얻지 못할 수도 있지만, 행복을 쫓으면 돈이 당신에게로 흘러올 것입니다.** 인간관계와 건강도 마찬가지입니다.

나는 인생의 궁극적인 목표는 웰빙의 상태를 이루는 것,

또는 단순히 말해 행복을 성취하는 것이라고 믿습니다.

행복을 얻는 더 쉬운 방법이 있을까요? 답은 예스!입니다. 이제 어떻게 하는지 보여드리겠습니다.

나는 웨인 다이어(Wayne Dyer) 박사로부터 평생 잊지 못할 문장 하나를 배운 게 있습니다. 그 문장은 **"나는 어떻게 봉사할 수 있을까?"**입니다. 다이어 박사는 세미나 시작 전에 항상 명상하면서 "나는 어떻게 봉사할 수 있을까? 어떻게 봉사해야 할까?", 이런 문구를 만트라처럼 반복한다고 했습니다. 그는 어떤 메모도 가져오지 않았고, 스피치할 때면 그냥 자연스럽게 말이 흘러나왔습니다. 그는 무엇을 말하고 무엇을 가르쳐야 할지 정확히 알고 있습니다. 다이어 박사는 내가 가장 좋아하는 롤-모델 중 한 명입니다. 그는 인생의 거의 모든 분야에서 큰 성공을 거두었습니다. 나는 웨인 다이어 박사의 성공에 있어 가장 중요한 요소 중 하나는 **"나는 어떻게 봉사할 수 있을까?"**라는 주문이라고 생각합니다.

지금 **"나는 어떻게 봉사할 수 있을까?"**라고 자문해보세요. **이것이 인생의 궁극적인 행복과 성취를 위한 열쇠입니다.** 여기서 내 경험을 공유해보겠습니다.

지금 내 인생에서 가장 즐거운 일은 사람들의 삶의 질에 변화를 가져올 수 있는 글을 쓰는 것입니다.

글을 완성할 때마다, 온몸에 긍정적인 에너지가 느껴집니다. 가끔은 나 자신도 의아해지곤 합니다! 이 에너지가 어디서 나오는 걸까요? 매주 수천 명의 사람이 내 기사를 읽는데 어떻게 그렇게 많은 글을 쓸 수 있을까요? 나는 졸저 "소원 이루기 속성코스(The Lost Secrets of Manifestation)"에서 그 비밀이 **"어떻게 봉사할 수 있을까?"**라는 문구 안에 있다는 것을 밝혔습니다.

글을 쓸 때마다 나는 컴퓨터 앞에 앉아서 "어떻게 봉사할 수 있을까?"라고 자문합니다. "어떻게 봉사할 수 있을까? 나는 어떻게 봉사해야 할까?"

그러면 이상하게도 아이디어가 떠오르고, 키보드를 두드리기 시작하면 단어가 절로 흘러나오기 시작합니다.

이 프로세스가 어떻게 작동하는지 이해하지 못하다가

어느 날 정보가 나 자신에게서 나오는 것이 아니라 하느님(또는 더 높은 지성)에게서 나오는 것이며, 나는 단순히 정보가 흘러가는 통로일 뿐이라는 것을 깨달았습니다. **나는 하느님이 세상에 봉사하기 위해 창조한 채널입니다.** 그것이 내가 여기 있는 이유이며, 그래서 봉사할 때 긍정적인 에너지를 느끼고 행복감을 느끼는 것입니다.

나는 삶의 목적이 봉사하는 것임을 배웠고, 이는 모든 사람에게 적용될 수 있다고 생각합니다. 이것이 바로 하느님이 내가 배우기를 원하는 것이고, 당신도 배우기를 바라는 것입니다. 이 진리를 깨달아야만 진정한 성취감을 느낄 수 있습니다. **삶의 목적은 봉사하는 데 있습니다. "자신을 위해 행복을 추구하면 행복은 항상 당신을 피할 것이고, 다른 사람을 위해 행복을 추구하면 행복이 당신을 찾을 것이다."** 이런 식의 말을 들어보았을 겁니다.

내 글이 수많은 사람에게 도움이 되고 세상을 조금이나마 변화시킬 수 있다는 것을 알기 때문에 나는 글을 완성할 때마다 행복감을 느낍니다. 내 글을 읽고 90%의 사람들이 아무런 행동을 취하지 않을 수도 있지만, 이것이 인간의 본성이지만, 어쨌거나 글을 읽는 한 그들의 인식이 확장되고 장기적으로 변화가 찾아오리라는 것을 알고 있습니다. 행동을 취하는 10% 미만의 사람에게 있어, 나는 나의 글이 그들의 삶을 더 나은 방향으로 변화시키리라는 것을 알고 있습니다.

그렇다면 나는 정말 대단한 일을 하고 있습니다! 정말 자랑스럽습니다. 그리고 정말 행복합니다.

그러니 오늘부터 다른 이들을 돕는 방법을 찾아보세요. 봉사할 방법을 찾아보세요. **다른 사람을 돕는 것은 매우 즐거운 일**이기 때문에 중독될 것입니다. 당신의 도움이 사람들의 삶을 바꿀 수 있습니다.

나는 종종 도움을 요청하는 이메일을 받습니다. 그들의 질문에 답하고 나면 얼마나 기분이 좋아지는지 상상할 수 있나요? 내 말 한마디로 그 사람의 인생이 더 나은 방향으로 바뀔 수 있다는 것을 알기 때문입니다. 이 얼마나 멋진 일인가요!

당신에게 알려드리고 싶은 비밀이 있습니다.

가장 큰 혜택을 받는 사람은 서비스를 제공하는 사람이 아니라 바로 자신입니다. 이상하게 들릴지 모르지만 이것은 사실이며, 원인과 결과라는 보편적 법칙에 의해 지배됩니다. **다른 사람에게 경험하게 하는 것은 무엇이든 자신에게 돌아와서 배가됩니다.** 다른 사람이 사랑을 경험하게 하면 자신의 삶에서 더 많은 사랑을 찾을 수 있고, 다른 사람이 부를 가지게 하면 자신의 삶에서 더 많은 것을 가질 수 있으며, 다른 사람이 성공하게 하면 성공이 보장됩니다. 이것이 우주의 법칙이며 여기에 예외는 없습니다.

그러므로 무엇이든지 인생에서 경험하고 싶은 것이 있다면 먼저 다른 사람이 경험하게 하세요. 이것이 욕망을 달성하는 가장 강력한 방법이자 행복을 얻는 가장 쉬운 길입니다.

Lesson 4. 원하는 것을 쉽게 얻는 법

원하는 것을 얻는 데는 어려운 방법과 쉬운 방법이 있습니다. 당신은 어떤 길을 택하겠습니까? 답은 명백합니다. 누구나 쉬운 방법을 원하죠. 하지만 대다수 사람은 쉬운 방법이 있다는 것조차 인식하지 못합니다.

우리 대부분은 태어나는 순간부터, 인생에서 성공하려면 열심히 일하고 고군분투해야 한다는 말을 들어왔습니다. "고통이 없으면 얻는 것도 없다."는 말이 있습니다. 대부분의 사람들에게 인생은 길고 긴 투쟁의 연속에 지나지 않습니다.

당신도 그렇게 느끼고 있다면 좋은 소식이 있습니다! 스트레스에서 가장 자유로운 방식으로 궁극적인 운명에 도달할 수 있는 쉬운 길이 있습니다.

잘 들어보세요. 당신의 삶이 만족스럽고 행복하며 스트레스가 없는지에 따라 삶의 질이 결정될 것이기 때문입니다.

우주의 궁극적인 비밀이 여기에 있습니다. **"바라보는 방식을 바꾸면 보이는 대상도 달라진다."**

이 말에 특별한 주의를 기울여 보세요. 이 말의 의미를 깊이 생각해 보세요.

네, 나도 압니다. 이런 말은 백만 번도 더 들었었다는 것을.

공부 좀 해본 사람은 누구나 알고 있습니다. 그래서 당신도 그렇게 생각하고 있다면, 이 말을 절대 가볍게 여기지 말라고 강조하고 싶습니다.

나는 90% 이상의 사람들이 이 글을 읽고도 그 진정한 의미를 이해하지 못한다고 자신할 수 있습니다.

그들의 삶을 보면 알 수 있습니다. 만약 지금 행복하고 만족스러운 삶을 살고 있지 않다면, 나는 "당신이 이 말을 진정으로 이해하지 못하고 있다."고 말할 수 있습니다. 그렇다면 어디 한 번 이 성공의 황금법칙에 대해 깊이 이해해 봅시다.

앞에서도 논의했듯이, 우리는 분자로 이루어진 물질세계에 살고 있으며, 분자는 다시 원자로, 원자는 다시 아원자로 이루어져 있습니다. 또한 **이 아원자는 우리의 명령에 따라 행동하며 우리가 관찰할 때에만 존재성을 갖춘다**고 논의했습니다.

이 놀라운 세상의 구성 요소에 대해 과학자들이 어떤 말을 하는지 알아봅시다. 아원자 입자는 일종의 파동 패킷으로, 파동과 입자의 상태를 동시에 가질 수 있습니다. 우리는 입자를 위치로, 파동을 운동량으로 설명합니다. 그러나 아원자 입자는 입자와 파동으로 동시에 존재할 수 있습니다. 이는 직관에 반(反)하는 것처럼 들리지만, 사실입니다. 입자가 되든 파동이 되든, 그것은 측정 방법에 따라 달라집니다. 위치로 측정하기로 결정하면 즉시 입자가 되고, 운동량으로 측정하기로 결정하면 즉시 파동이 됩니다. 모든 것은 측정하는 방법(또는 관찰하는 방법)에 따라 달라집니다.

디팍 초프라(Deepak Chopra)는 그의 저서 "욕망의 자발적 충족(Spontaneous Fulfillment of Desires)"에서 어빈 슈뢰딩거의 사고 실험을 설명합니다.

당신에게 아원자, 고양이 한 마리, 지렛대, 고양이 사료 그릇이 들어 있는 뚜껑이 느슨한 상자가 하나 있다고 상상해보세요. 아원자가 입자가 되면, 입자가 뚜껑에 걸려 고양이가 밥을 먹게 됩니다. 반대로 파동이 되면, 뚜껑이 음식 위에 남아 있습니다. 상자를 열면(우리가 관찰하면) 빈 그릇과 행복한 고양이 또는 사료가 가득 찬 그릇과 배고픈 고양이가 보일 것입니다. 모두 우리가 어떻게 관찰하느냐에 달려 있습니다.

상자를 열기 전에는 사료 그릇이 비어 있기도 하고 가득 차 있기도 하며, 고양이는 배불리 먹은 상태이거나 배고픈 상태입니다. 두 가지 가능성이 동시에 존재합니다. 디팍은 "가능성을 현실로 바꾸는 것은 관찰뿐"이라고 말합니다.

요점은 **물질세계의 기본 구성 요소가 우리의 명령에 따라 작동한다**는 것입니다. 우리가 관찰하는 바로 그 순간에 존재하게 됩니다. 우리는 세상의 창조자입니다. 우리의 관찰없이는 아무것도 존재하지 않습니다.

이것이 욕망을 구현하는 것과 어떤 관련이 있을까요? 글쎄요, 그것은 욕망을 실현하는 모든 것과 관련 있습니다. 왜 우리 삶은 투쟁처럼 보일까요? 왜 원하는 돈을 얻지 못하는 걸까요? 왜 우리가 항상 원하는 관계를 얻지 못하는 걸까요? 왜 우리 삶은 끝없는 문제로 가득 차 있을까요? **이 모든 것은 세상을 관찰하는 우리의 습관적인 방식 때문입니다.** 우리는 우리가 보고 있는 것이 현실이라는 조건에 길들여져 있고, 이런 식으로 계속 살면서 삶에서 계속 똑같은 일이 일어나는 것을 봅니다. **당신의 현실은 현실이 아닙니다.** 오직 당신만이 선택해서 그것을 현실로 관찰하는 것입니다. **자신의 관찰이 모든 것의 원인이라는 것을 깨닫는 순간, 말 그대로 다른 현실을 만들기로 결정할 수 있습니다.** 오직 선택할 때에만 다른 현실을 당신의 세계로 가져오겠다고 결정할 수 있습니다.

어떻게 그럴 수 있을까요? 첫째, 외부 세계에 속지 마세요. 이것이 반드시 현실은 아닙니다. 둘째, 마음속에서 원하는 것을 정확히 관찰하고, 확실하고 명확하게 관찰하세요.

그런 다음 양자 차원에서 바람이 이미 이루어졌다는 것을 알고 놓아버리세요. 그저 우주가 당신에게 다가오도록 허용하면 됩니다. 기회가 오면 행동을 취하고 감사를 표현하는 것을 잊지 마세요. 모든 것은 세상을 바라보는 방식을 바꾸는 것에서 시작됩니다.

"바라보는 방식을 바꾸면 보이는 대상도 달라진다."는 말을 잊지 마세요.

Lesson 5. 감사의 힘

우리 각자의 내면에는 상황이 아무리 나쁘다고 해도 장애를 극복하는 데 쓸 수 있는 강력한 힘이 있습니다. 이 힘이 얼마나 강력한지, 어떻게 작동하는지 알게 되면 두려움, 걱정, 불안 등 그 어떤 것도 걱정할 필요가 없습니다. 삶은 쉽고 만족스러운 과정이 됩니다. 당신은 삶을 즐기기 시작하고, 존재의 모든 순간을 즐기기 시작합니다.

이 힘이 무엇인지 알고 싶지 않나요? 내가 말하고 있는 강력한 힘은 바로 "감사의 힘"입니다.

그렇습니다, 감사의 힘입니다. 인생에서 승리하고 크게 이기고 싶다면 감사의 힘을 알아야 하고, 그 힘을 어떻게 작동하는지 알아야 하며, 그 힘에 따라 살아야 합니다. **감사**

는 현재 상황이 아무리 나쁘더라도 인생의 전투에서 승리하는 데 사용할 수 있는 비밀 무기입니다. 단순하다는 말에 속지 마세요. 이 간단한 아이디어 하나만으로도 당신의 삶이 완전히 바뀔 것입니다.

자, 한 번 더 분명하게 선언하여 잠재의식 속에 들어가게 합시다. "**어떤 환경에 있든, 어떤 상황에 처하든, 당신은 항상 그 안에서 감사할 무언가를 찾을 수 있는 선택권이 있으며, 그 순간 즉시 당신의 끌어당김 포인트를 바꿀 수 있습니다!**"

잊지 마세요 삶의 질은 지금 이 순간의 질에 의해 결정됩니다. 그리고 당신에게는 매 순간 선택권이 있습니다. 우울하고 불행하다고 느낄 수도 있고, 감사할 만한 것을 찾아서 즉시 끌어당김 포인트를 바꿀 수도 있습니다.

자, 그렇다면 당신은 이제 "어떻게 감사할 일을 찾을 수 있을까?"라고 물을 수 있습니다.

간단한 연습을 해봅시다......

지금 하던 일을 멈추고 바로 여기에서 감사할 수 있는 무언가를 찾아보세요. 지금 바로 찾아보세요.

찾았습니까? 아직 못 찾았다면, 한 가지 상기시켜 드리겠습니다.

당신이 누구든, 어디에 있든, 이 글을 읽고 있다는 것만으로도 적어도 한 가지는 감사할 일이 있다고 장담할 수 있습니다. 이해하셨나요? 네! 그렇습니다. 바로 인터넷입니다!

인터넷에 접속하여 원하는 정보를 몇 분 만에 찾을 수 있다는 것은 얼마나 놀라운 일입니까? 이제 잠시 멈추고 실제로 느껴보세요. 어떤 기분이 드시나요? 컴퓨터조차 없는 제3세계 국가에 사는 사람들과 비교하면 당신은 얼마나 운이 좋은지 생각해 보세요.

좋은 느낌을 몇 초 동안 붙잡고 진심으로 느껴보세요. 17초 동안 그 느낌을 유지할 수 있다면 당신의 삶은 극적으로 바뀔 것입니다. 장담할 수 있습니다.

이것은 언제 어디서나 감사할 만한 것을 찾을 수 있음을 보여주기 위한 예시일 뿐입니다. 실제로는 매우 간단하며 여기서 몇 초, 저기서 몇 초만 투자하면 삶이 이전과는 전혀 달라질 것입니다. 에너지와 행복으로 가득 찬 자신을 발견하게 될 것입니다.

먹는 음식에 감사하고, 숨 쉬는 공기에 감사하고, 햇살에 감사하고, 현재 맺고 있는 관계에 감사하고, 앉아 있는 방에 감사하세요. 모든 것에 감사하세요.

"내가 먹는 음식은 부자들이 먹는 것만큼 좋지 않다", "내가 마시는 공기는 다른 도시의 공기만큼 좋지 않다", "내가 맺고 있는 관계는 만족스럽지 않다", "내가 사는 내가 원하는 만큼 크지 않다"라고 말할 수 있습니다. 이 모든 것이 사실일 수도 있지만, 당신이 이런 식으로 인식하기로 선택했기 때문에 사실입니다. 그리고 중요한 것은 지금 이 순간 다른 방식으로 인식할 수 있다는 것입니다.

당신이 맺고 있는 관계에 대해 생각해 보세요. 지난번 어려운 일을 겪고 있을 때 파트너가 위로해주지 않았나요? 파트너가 수년 동안 여러분을 위해 해준 멋진 일들을 떠올려보세요. 파트너가 잘못한 것에 집중하는 대신, 잘한 것에 집중하는 것은 어떨까요? 보다 중요한 것은, 파트너가 당신을 위해 해준 것에 감사하는 것입니다.

어떤 상황이나 사람에게도 항상 긍정적인 면과 부정적인 면이 있으며, 부정적인 면에 집중하고 잘못된 것을 비난할지, **긍정적인 면과 옳은 것에 감사할지** 선택할 수 있습니다. 이것이 삶의 질에 큰 변화를 가져올 것입니다. 이 아이디어의 단순함에 속지 말고 여기저기서 감사하는 연습을 하면 인생에서 기적을 발견하게 될 것입니다. 다시 반복하겠습니다. **이 아이디어의 단순함에 속지 말고, 여기저기서 감사하는 연습을 하세요 인생에서 기적을 발견하게 될 것입니다.**

Lesson 6. 좋은 기분의 힘

오늘 나는 당신이 인생에서 원하는 어떤 성공이든지 즉시 성취하기 위해 쓸 수 있는 강력한 배움을 나누고자 합니다. 그리고 내가 제안하는 대로 행동한다면 성공을 약속할 수 있습니다.

당신은 인생에서 원하는 모든 것을 가질 것이고 마땅히 누려야 할 완전한 성취를 누릴 것입니다. 잊지 마세요, 당신이 가질 수 있고, 있을 수 있고, 할 수 있는 것에는 어떤 한계도 없다는 것을. 당신은 상상할 수 있는 모든 것을 이룰 수 있습니다. 이제 어떻게 하는지 알려드리겠습니다.

흥분되시나요? 자, "만약에"라는 게임을 시작합시다. 만약 세상에서 가장 성공한 100명의 사람에게 성공에 단 한 가지 마법 같은 비밀이 있는지 물어볼 수 있다면? 그리고 그들이 있다고 대답한다면? 그리고 그들 모두가 당신에게 똑같은 대답을 해준다면? 당신은 그들이 제안하는 대로 행동할 의향이 있나요?

음, 그들이 뭐라고 말할지는 모르지만, 수년간 가장 성공한 사람들을 연구한 결과 어떤 무엇보다도 그들의 성공에 기여한 한 가지 가장 중요한 요소가 있다는 것과, 누구든지 현재 상황이 어떻든 상관없이 성공을 이루기 위해 그것을 이용할 수 있다는 것을 알고 있습니다.

당연히 그 비밀이 무엇인지 알고 싶을 것입니다. 지금 말씀드리겠습니다.

잘 들으세요!

성공한 사람들에게 있어 가장 중요한 요소는 그저 좋은 기분을 느낀다는 것입니다.

만약 성공이 정말로 그렇게 간단하다면, 왜 그렇게 많은 사람들이 어려움을 겪고 있을까요?

좋은 질문입니다. 우리는 무언가를 이루기 위해서는 먼저 고통을 겪어야 한다고 배워왔습니다. 고통이 없으면 얻는 것도 없다는 말도 있습니다. 하지만 내가 말씀드리지만, 이것은 절대적으로 거짓입니다.

크게 성공한 사람들의 삶을 보세요. 그가 고통받고 있나요? 힘들어하고 있나요? 만약 그렇다면, 나는 그 사람이 고군분투하고 있는 그 분야에서 성공하지 못했다고 장담할 수 있습니다. 그는 어떤 분야에서는 성공적인 모습으로 보일지 모르지만, 다른 분야에서는 전혀 성공적이지 못합니다. 건강이 좋지 않은 부자를 본 적이 있나요? 왜 그런 일이 일어나는 걸까요? 세계 최고의 의사를 고용하기 위해 필요한 돈은 모두 가지고 있는데, 왜 그는 여전히 건강이 좋지 않을 것일까요?

실제 상황은 다음과 같습니다......

그는 재정적인 면에서 자기 자신에 대해 정말 좋게 느꼈기 때문에 재정적으로 크게 성공했고, 건강에 대해 나쁘게 느꼈기 때문에 신체적으로 성공하지 못했습니다.

하고 싶은 말은 바로 이것입니다. 한 분야에서 매우 성공한 사람을 발견하면 그 사람이 그 분야에서 자기 자신에 대해 기분 좋게 느낀다는 것을 확실히 알 수 있습니다. 대다수 사람들이 인생의 어떤 영역에서 어려움을 겪지만, 바로 그 영역에서 기분 좋게 느끼도록 조건화되어 있는 사람도 있습니다.

여전히 확신이 서지 않는다면 이렇게 생각해 보세요.
당신은 성공을 어떻게 정의하나요? 목표를 설정하고 달성하는 것만이 성공은 아닙니다. 물론 그것도 중요하지만, 그것은 이야기의 일부일 뿐입니다. 나와 대부분의 성공한 사람들이 정의하는 성공은 존재하는 모든 순간에 웰빙을 누리는 것입니다. 모든 것은 좋은 기분을 느끼는 것으로 귀결됩니다. 이런 의견에 동의하지 않을 수도 있고, 은행 계좌에 수십억이 있는 것을 성공이라고 생각할 수도 있고, 유명인이 되는 것을 성공이라고 생각할 수도 있습니다. 그렇다면 하나만 물어보겠습니다. "왜 수십억이라는 돈을 원하나요?" 또는 "왜 유명인이 되고 싶나요?"라고요. 이 질문에 대해 깊이 생각해 보면, 결국 내가 원하는 것은 순전히 기분이 좋아지는 것뿐이라는 것을 알게 될 것입니다.

대부분의 사람들이 저지르는 큰 실수가 있습니다. 사람들은 수십억을 벌면 행복할 것이라고, 또는 슈퍼스타가 되면 행복해질 것이라고 생각합니다. 하지만 그 목표에 도달하면 잠시 흥분을 느끼다가 결국 그게 전부라는 것을 깨닫습니다. 그리고 더 높은 목표를 세우고, 그것에 도달하면 행복해질 것으로 생각합니다.

하지만 접근 방식을 바꾸지 않는 한 결코 행복해질 수 없습니다.

그렇다면 올바른 접근 방식은 무엇일까요?

궁극적인 목표가 기분이 좋아지는 것이라면 지금 당장 기분이 좋아지는 것을 선택하는 것은 어떨까요? 어떻게 하면 될까요? 지금 이 순간 기분이 좋아지겠다고 선택하기만 하면 됩니다. 그렇게 간단합니다. 사람들은 성공을 위한 기술과 전략을 찾기 위해 많은 돈을 투자하지만, 가장 강력한 도구가 가장 근본적인 것, 즉 기분이 좋아지는 것임을 잊고 있습니다.

"말이야 쉽지, 빈털터리인 내가 어떻게 기분이 좋아질 수 있겠어?"라고 생각할 수도 있습니다. 정말로 그렇게 생각한다면, 내 대답은 이렇습니다... 우리가 매일 경험하는 감정의 종류는 두 가지뿐입니다. 하나는 좋은 느낌이고, 다른 하나는 나쁜 느낌입니다.

좋은 느낌은 우주에 강력한 신호를 보내며, 끌어당김의 법칙을 통해 좋은 느낌의 상태에 맞는 사람, 환경 및 사건을 끌어들일 수 있습니다. 나쁜 감정 또한 우주에 강력한 신호를 보내 나쁜 감정 상태에 맞는 사람, 환경 및 사건을 다시 불러옵니다.

알겠습니까?

감정이 원인이고 상황은 결과입니다.

기분이 나쁘면 빈털터리 상태에서 벗어날 수 없습니다. 원인을 강화할 뿐입니다.

그러니 어떤 상황에 있든 어떤 식으로든 기분이 좋아지기 시작하세요. 기분이 좋아지기로 선택하는 순간 놀라운 일이 일어날 것입니다.

믿기지 않는다 해도 한 번 시도해보세요. 잃을 것은 하나도 없습니다.

　기분이 좋은 상태를 유지하기 위해 사용할 수 있는 몇 가지 기술이 있습니다. 최고의 기법 중 하나는 로버트 앤소니 박사가 오디오 프로그램 "부자가 되는 법"에서 소개한 플립 스위치 기법입니다.

Lesson 7. 욕망을 이루는 가장 빠른 방법

인생의 조건을 바꾸고 가장 빠른 속도로 욕망을 실현할 수 있는 방법이 있을까요?

네! 확실히 있습니다! 당신이 상상할 수 있는 가장 빠른 방법으로 욕망을 나타낼 수 있는 비밀이 있습니다. 지금 이 비밀을 당신과 공유하겠습니다.

이 비밀을 마스터하고 자신의 인생에 적용하면 다시는 어려움을 겪지 않을 것입니다. 삶은 마법이 될 것입니다. 원하는 성공을 쉽게 만들어낼 수 있고, 어떤 욕망도 이룰 수 있습니다.

그 비밀이 무엇인지 알아볼 준비가 됐나요?

그것은 바로 ……

"욕망을 이루는 가장 빠른 방법은 그것이 이미 실현된 것처럼 생각하고, 말하고, 행동하는 것이다."

어쩌면 이 말을 여러 가지 경로로 들었어도 자신의 삶에 적용하는 방법을 찾지 못했을지도 모릅니다. 이유는 그것이 얼마나 강력한지 생각해본 적이 없어서 그래서 의심하고 행동의 필요성을 느끼지 못했기 때문입니다. 이제 당신의 의심을 없애고 100% 자신감을 가지고 100%의 성과를 낼 수 있도록 도와드리겠습니다.

그 전에, 진실의 개념에 대해 몇 가지 말씀드리겠습니다. "진실은 강력합니다." 진실은 보편적인 법칙이며, 변할 수 없고, 그 자체로 조직적인 힘을 가지고 있습니다. 진실을 아는 한, 인식 수준은 자동으로 높아지고 다시는 퇴보하지 않을 것입니다. 진실을 알게 되면, 인식이 완전히 바뀌고 세상을 매우 다르게 보게 될 것입니다. 당신의 삶은 다시는 예전 같지 않을 것입니다. 우리는 평생 진실을 찾고 있습니다. 어떤 사람은 운이 좋아서 진실을 쉽게 발견하고 진실을 바탕으로 스트레스 없는 삶을 누릴 수 있습니다. 다른 사람은 평생을 고군분투해도 결코 진실을 찾지 못합니다. 사실

진실은 단순합니다. 누군가 말해주기만 하면 바로 알아차리고 왜 전에는 그런 생각을 하지 못했는지 의아해할 정도입니다.

이제 이 원칙의 이면에 숨어 있는 몇 가지 간단한 진실을 공유하겠습니다.

1. 당신은 원하는 것을 이미 가지고 있습니다.

"당신이 구하기 전에 이미 주어져 있다"는 말을 들어보았을 것입니다.

이것이 실제로 무엇을 의미하는지 생각해본 적 있나요? 또 다른 종교적 신념이라고 생각할 수도 있지만, 과학적 관점에서 보아도 이것은 절대적으로 사실입니다. 이 말이 실제로 의미하는 바는 당신이 원하는 모든 것, 또는 상상할 수 있는 모든 것이 이미 우주의 모든 가능성의 영역에 에너지의 형태로 존재한다는 것입니다. 온 우주는 거대한 에너지의 바다입니다. 즉, 당신과 나 그리고 돈, 집, 자동차, 심지어 당신이 찾고 있는 이상적인 소울메이트를 포함한 이

지구상의 모든 것이 에너지라는 뜻입니다. 당신이 알지 못할 수 있는 것은 이 에너지가 전체 우주계를 지배하는 상위 지성의 명에 따라 작동한다는 사실입니다.

당신이 모르는 것은 당신도 이 지성의 일부이며, 상위 지성의 모든 특성을 당신도 가지고 있다는 것입니다.

그러므로 당신에게는 이 에너지를 다스릴 수 있는 능력이 있습니다. 당신은 상상할 수 있는 모든 것을 이 우주 에너지장을 통해 창조할 수 있습니다. "당신은 당신 삶의 창조자"라는 사실을 잊지 마세요.

원하는 것은 이미 주어져 있기 때문에 모든 욕망이 이미 실현된 것처럼 생각하고 말하고 행동하는 것은 절대적으로 합리적입니다.

2. 감정은 상위 지성의 언어입니다.

내가 상위 지성의 일부라면, 왜 원하는 삶을 창조하고 있다는 증거가 보이지 않을까요? 왜 삶이 끝없는 투쟁의 연속으로 느껴질까요? 왜 나의 삶은 여전히 걱정과 불안으로 가득 차 있을까요? 이런 감정을 느낀다면, 그것이 정답입니다. 당신은 느끼는 대로 창조하고 나타냅니다. 우주는 결코 당신을 실망시키지 않습니다. 무엇을 요청하든 당신에게 줄 것입니다. 문제는, 우주는 영어나 중국어 또는 인간이 사용하는 어떤 언어도 사용하지 않는다는 것입니다.

하지만 태어나기 전부터 우리 몸의 시스템에는 보편적인 언어가 내장되어 있습니다. 이 언어는 보편적이기 때문에 우주는 우리 중 누구와도 소통할 수 있습니다. 그 언어는 바로 우리의 느낌과 감정입니다. 우리는 태어난 순간부터 매 순간 더 높은 지성과 소통하고 있습니다. 우주는 우리의 명령에 따라 우리가 요구하는 모든 것을 제공합니다. 이 강력한 언어에 대한 무지와 그릇된 사용이 우리에게 많은 어려움과 불행을 안겨줍니다. 만약 감정이 우주와 대화하는 언어라면, 당신이 힘들고 불행하다고 느낄 때 우주는 무엇으로 응답할까요? 우주는 당신에게 더 많은 고생과 불행을 주어 당신의 명령을 이행할 수밖에 없습니다. 우주는 항상 당신의 감정을 충족시킵니다.

이제 당신은 현재 상태가 아무리 비참하더라도 비참함과 불행을 느끼지 말아야 한다는 것을 이해했을 것입니다. 그렇지 않으면, 더 많은 비참함과 불행을 원한다고 우주에 말하는 것이기 때문입니다. 대신, "모든 욕망이 이미 실현된 것처럼 생각하고 말하고 행동하세요." 이렇게 하면 욕망과 일치하는 느낌이 촉발되어 우주에 쉽게 명령을 전달해서 현실로 가져올 수 있습니다. 우주는 결코 당신을 실망시키지 않으며, 오직 당신만이 스스로 실망하는 것입니다. 자신의 느낌, 감정에 주의하세요. 그것을 더 많은 것을 끌어당길 것이기 때문입니다.

3. 세부적인 것은 우주가 처리합니다.

이제 나는 당신에게 "욕망이 이미 실현된 것처럼 생각하고, 말하고, 행동하라"고 요청하고 있습니다. 그럼 어떻게 그렇게 할 것인지 질문이 있을 수 있습니다.

걱정할 필요 없습니다. 정확한 시간과 장소에서 정확한 방법을 정확히 알게 될 것입니다. 모든 세부 사항은 우주가 알아서 할 것입니다. 당신이 할 일은 느낌과 감정이라는 보편적인 언어를 통해 원하는 것을 우주에 말하는 것입니다. 감정은 특정 주파수를 가진 일종의 에너지입니다. 그 에너지는 우주의 에너지장으로 들어가서 감정의 주파수와 일치하는 정확한 에너지를 찾아서 책, 멘토, 기회 또는 도움을 주는 사람들 등의 형태를 당신에게 가져다줄 것입니다. 당신이 필요로 하는 것을 정확히 찾아낼 것이며, 그것이 우주의 일입니다. 감정을 발산하는 순간 이미 보편적인 끌어당김의 법칙에 의해 보장됩니다. 당신이 할 일은 마음의 욕망에 집중하고, 느껴야 할 것을 느끼고, 봐야 할 것을 보고, 들어야 할 것을 듣고, 심지어 욕망이 이미 실현되었다면 있을 수 있는 냄새를 맡는 것뿐입니다. 모든 세부적인 것은 우주가 알아서 조율하 도록 허용하세요.

지금쯤이면 이미 의심이 사라졌기를 바랍니다. "모든 욕망이 이미 이루어진 것처럼 생각하고, 말하고, 행동하는 것"이 절대적으로 필요합니다. 이것이 바람을 현실로 만드는 가장 빠른 방법입니다.

Lesson 8. 소망이 이루어지지 않는 이유

나는 전 세계 사람들로부터 이런 질문을 하는 이메일을 자주 받습니다. "내가 할 수 있는 모든 자기계발 프로그램을 다 해보고, 끝없는 긍정과 시각화, 명상도 해봤는데 왜 아직도 내 삶에서 욕망이 실현되는 것을 보지 못할까요?"

그 질문에 대한 내 대답은 항상 똑같습니다. "당신이 진실을 알지 못하기 때문입니다."

어떤 프로그램도 그 이면의 진실을 알기 전에는 효과가 없습니다.

나는 여러 차례 세계 최고의 성공 및 자기계발 세미나에 참석한 바 있습니다. 세미나에서 가르치는 기법은 매우 효과적이고 강력합니다. 나는 이 기법들을 정확히 따르기만 한다면 100% 효과가 있다고 굳게 믿습니다.

하지만 실제로 실천에 옮기는 사람은 극소수에 불과합니다. 대다수 사람들은 세미나장을 떠나자마자 다시 원래의 습관으로 돌아갑니다.

나는 점점 더 혼란스러워졌습니다. 왜 사람들은 그렇게 많은 시간과 노력을 들여 훌륭한 세미나에 참석하고도 실행에 옮기지 못하는 걸까요? 동기 부여가 부족하기 때문이라고 생각했지만 내가 틀렸습니다. 그리고 마침내 정답을 찾았습니다. 사람들은 꿈이 있기 때문에 세미나에 참석합니다. 그들은 세미나에서 얻을 수 있는 긍정적인 결과에 이끌립니다. 사람들이 세미나를 듣고도 실천하지 않는 이유는 위험을 감수하는 것을 좋아하지 않기 때문입니다. 그들은 행동을 취한 후 얻을 수 있는 결과에 대해 불확실성을 느낍니다. "이렇게 열심히 노력했는데도 효과가 없으면 어떡하지?" 이것이 바로 무의식적으로 그들의 마음속에서 일어나는 일입니다. 프로그램이 기대한 대로 정확하게 작동할 것이라고 100% 보장할 수 있는 사람은 아무도 없습니다. 그래서 차라리 아무런 조치도 취하지 않은 채 위험으로부터 자신을 보호하고 싶어 합니다.

만약 100% 보장을 받을 수 있다면 어떨까요?

땅에 씨앗을 심으면 매일 땅을 파서 확인하면서 씨앗이 잘 자랄지 걱정하나요? 자연의 법칙이 씨앗이 자랄 것을 보장한다는 것을 알기 때문에 걱정하지 않아도 됩니다. 그러니 그냥 편하게 앉아서 씨앗이 자랄 때까지 기다리면 됩니다. 사람들은 안정감을 느끼고 싶어 하고 100% 보장을 원합니다. 만약 자기계발 프로그램이 100% 성공을 보장할 수 있고, 우주의 불변의 법칙에 따라 설계되었는지 설명한다면 기꺼이 실천에 옮기고 전심으로 따를 수 있을까요? 물론입니다! 대부분의 자기계발 프로그램에서 일반적으로 무시되는 한 가지 핵심 요소는 프로그램의 기본 원리입니다. 세미나에 가면 발표자는 항상 이전 참석자가 달성한 특정 결과를 통해 참가자들을 설득하려 하지만, 사람마다 다르고 성공에 영향을 미치는 요인이 너무 많기 때문에 100% 설득력이 있을 수는 없습니다. 한 사례에서 효과가 있었던 것이 다른 경우에는 효과가 없을 수도 있습니다. **스스로 납득할 수 있는 유일한 방법은 그것이 어떻게 작동하는지, 왜 100% 효과가 있는지, 왜 그것이 보편적인 법칙**

에 의해 보장되는지 그 원리를 연구하는 것입니다. 이러한 원칙을 이해하면 자동으로 행동을 취하고 끝까지 따라갈 수 있습니다.

진실을 알면 의심이 사라집니다.

이러한 법칙과 원칙은 예외 없이 완벽하게 작동하는 진리입니다. 이전 글에서 설명했듯이 느낌과 감정은 우주의 언어입니다. 미래에 대해 불확실하다고 느끼거나 프로그램에서 얻을 수 있는 결과에 대해 의구심을 느끼면, 우주는 의심과 불확실성의 상태를 유지함으로써 당신을 충족시켜줄 것입니다. 그렇기 때문에 잘 안 될지도 모른다고 걱정을 많이 할수록 더 잘 안된다는 것을 알게 될 것입니다. 진실을 알고 얻을 결과에 대해 크게 확신한다면, 우주는 당신이 원하는 결과를 제공함으로써 당신을 충족시키고 자신감과 확신의 상태를 유지시켜 줄 것입니다.

Lesson 9. 궁극적인 목표에 이르기 위한 올바른 행동

욕망을 실현하기 위해 해야 할 올바른 일은 무엇일까요?

지금 내가 취해야 할 행동은 무엇일까요?

나는 올바르게 하고 있는지, 아니면 잘못된 일을 하고 있는 것일까요?

이러한 질문은 우리 대부분이 마음속에서 끊임없이 스스로에게 던지는 질문입니다. 대부분의 경우, 우리는 무의식적으로 이런 질문을 합니다.

우리는 실수를 두려워하기 때문에 자신이 하는 일을 끊임없이 판단하고 있습니다. 이제 궁극적인 목표에 도달할 수 있는 올바른 행동을 선택하는 방법을 보여드리겠습니다.

우선 모든 미루기의 뿌리에 대해 논의해 보겠습니다.

사람들은 종종 "성공에 대한 모든 이론을 공부하고 모든 자기계발 서적을 읽었지만, 여전히 무엇을 해야 할지 모르겠다"고 말합니다. 그러면서 결국 아무것도 하지 않고 아무런 결과도 얻지 못합니다.

아무리 많은 책을 읽고, 아무리 많은 강연을 듣고, 아무리 많은 세미나에 참석하더라도 행동으로 옮기지 않으면 아무런 결과도 얻지 못합니다. 행동이 결과를 낳습니다. 이 사실은 바꿀 수 없습니다.

행동하지 않으면 끝없는 미루기로 이어지고, 결국 실패로 끝나고 맙니다.

아무리 상황이 좋이 않다고 해도 지금 당장 조금이라도 개선하기 위한 조치를 취할 수 있습니다. 백만 달러를 버는 방법을 상상할 수 없다면 우선 100달러를 벌겠다고 결심하세요. 중요한 것은 끊임없는 개선입니다. 성공은 목적지가 아니라 여정입니다. 이 여정은 개선에 관한 것입니다. 어떤 식으로든 개선하고 있다면 성공으로 나아가고 있는 것입니다.

이제 뭔가 조치를 취해야 한다는 것을 알았으니... 그렇다면 올바른 행동은 무엇일까요?

답은 직관에 물어보는 것입니다. 직관은 상위 지성이 보내는 메시지이기 때문에 결코 당신을 속이지 않습니다. 직관은 항상 무엇이 옳고 그른지 알고 있습니다.

느낌과 감정이 우주의 언어라고 말했던 것을 기억하십니까? 그것은 또한 우주의 더 높은 지성이 보내는 메시지이기도 합니다. 긍정적인 감정을 느낄 때 우주는 당신이 잘하고 있으니 계속 그렇게 하라고 말하고, 부정적인 감정을 느낄 때 우주는 당신이 궁극적인 목적, 즉 인생의 사명에 부합하지 않는다고 경고합니다. 행동을 수정해야 한다는 뜻입니다.

이것이 우주가 우리와 소통하는 방식입니다.

어떤 행동을 취하기 전에 "이 행동을 하고 나면 어떤 기분이 들까?"라고 스스로에게 물어보세요.

대부분의 경우, 직관은 즉각적인 피드백을 제공하며, 긍정적이거나 부정적인 감정을 느끼게 됩니다.

그러므로 직관에 귀를 기울이고, 실수할까 봐 걱정하지 말고 기분이 좋아지는 일을 하면 됩니다.

모든 것은 신성한 질서 속에 있습니다.

성공을 가로막는 가장 견고한 장애물 중 하나는 실패에 대한 두려움 또는 실수에 대한 두려움입니다.

이 장애물을 완벽히 제거하려면 모든 것이 신성한 질서 속에 있다는 믿음을 받아들여야 합니다.

지난 10년간의 삶을 되돌아보세요. 실수를 하지는 않았나요? 물론 그랬겠지만, 그런 실수가 없었다면 지금과 같은 삶을 살 수 있었을까요? 깊이 들여다보면 그런 실수들이 필연적으로 지금의 삶으로 이어지는 어떤 우연을 만들어냈다는 사실을 알게 될 것입니다. 당신의 삶에서 일어나는 일들 사이에는 항상 연관성이 있습니다. 그 실수는 놓칠 수 없는 인생 여정의 일부였는데, 그 당시에는 왜 걱정했나요?

대학 입학시험을 치르고 나서, 나는 정말 좋아하던 유명 대학에 들어갈 기회를 얻지 못했습니다. 나를 아는 대부분의 사람들이 안타까워했지만, 나는 개의치 않고 두 번째로 선택한 대학에 입학했습니다. 그 대학에 입학한 지 한 달 후, 처음 지망했던 대학보다 훨씬 좋은 대학으로 유학할 수 있는 장학금을 제안받았습니다. 무엇보다도 나는 교육에 한 푼도 지출하지 않았고, 심지어 일상적인 지출도 장학금으로 충당할 수 있었습니다. 만약 처음 선택한 대학에 들어 갔더라면 이런 기회는 절대 없었을 것입니다. 나는 모든 것이 신성한 질서 속에 있다고 믿으며 내 인생에서 어떤 것도 잘못되지 않는다고 믿습니다.

인생에서 이런 우연이 더 많이 일어나기를 원한다면, 의심이 들 때 다음 문장을 매일 반복하세요.

"모든 것이 신성한 질서 속에 있다고 믿으며 내 인생에서 어떤 것도 잘못되지 않는다."

요약하자면, 매일 조금씩 개선해 나가야 합니다.

어떤 행동을 취하기 전에 그것이 당신에게 가져올 느낌을 생각하고, 감정에 근거하여 올바른 선택을 하세요. 그런 다음 모든 것이 신성한 질서에 따라 이루어지기 때문에 옳은 일을 하고 있다고 믿으세요.

Lesson 10. 성공을 보장하는 간단한 3단계

당신은 삶이 즐거운가요? 인생의 목적을 알고 있나요?

당신의 삶에서 진정으로 원하는 것이 무엇인지 알고 있습니까? 하고 있는 일에 열정을 느끼나요? 자신의 진짜 바람을 알고 있습니까?

이 글에서 당신 삶의 목적을 명확히 하는 법, 그리고 욕망을 현실로 끌어내기 위해 정확히 무엇을 해야 하는지 보여주려고 합니다.

학창 시절부터, 우리는 무엇을 해야 하는지, 무엇을 이루어야 하는지 배웠습니다. 모두가 따라야 하는 삶의 길을 받았습니다. 우리는 학교에 가고, 학위를 받고, 일자리를 찾고, 매일 일하러 가야 합니다.

모든 사람이 그렇게 하고 있으니, 그것이 우리도 해야 할 일일 것입니다. 우리는 단지 이런 식으로 할 뿐, 그것이 옳은지 그른지에 대해서는 절대로 의문을 제기하지 않습니다. 그것이 우리의 운명입니다. 다른 선택의 여지는 없습니다.

그게 정말 사실일까요? 정말로 다른 선택의 여지는 없을까요? 아니, 절대로 그렇지 않습니다. 우리는 원하는 무엇이든 선택할 수 있습니다. **신이 우리에게 자유의지를 주었으니, 그 의지를 사용할 수 있는 능력을 주셨음 또한 틀림없습니다.** 다른 사람을 따를 필요도 없고, 우리가 무엇을 해야 하는지 말해줄 사람도 필요하지 않습니다. 우리는 선택할 수 있는 힘이 있습니다. 우리 자신의 운명을 설계할 힘이 있습니다. 진실은, 당신이 선택하지 않으면, 다른 사람이 당신을 대신해서 선택하게 된다는 데 있습니다. 아마 당신은 자신의 힘을 다른 사람에게 내주고 싶지는 않을 겁니다.

사람들은 무엇을 선택해야 할지 모른다고 말합니다. 자신이 진정 원하는 것이 무엇인지 모른다고요. 잘못된 결정을 내릴까 봐 두려워하고, 그래서 결국 아무 결정도 내리지 못합니다.

한 가지 비밀을 말씀드리자면, 옳고 그른 결정이란 없습니다. 당신이 내리는 모든 선택이나 결정은 지금 이 순간 옳으며, 당신에게 최선의 이익이 됩니다. 사람들은 올바른 정보와 지식이 없다는 두려움 때문에 결정을 내리지 못합니다. 이런 생각이 든다면 이 좌우명을 기억하고, 하루에도 여러 번 반복하여 잠재의식 속으로 가라앉을 때까지 반복하세요. "나는 내가 알아야 할 것을 안다.", "나는 내가 알아야 할 것을 안다!"

결정을 내리면 올바른 정보가 올 것입니다.

이것은 낙관적인 것이 아니라 우주의 법칙입니다. 앞에서도 논했듯이 이 우주의 모든 것은 에너지와 정보로 구성되어 있습니다. 에너지와 정보는 끌어당김의 법칙에 따라 작동합니다. 예외는 없습니다. 끌어당김의 법칙은 완벽하게 작동합니다. 당신의 생각 또한 에너지입니다. 당신은 생각하는 것을 끌어당깁니다. 이것은 우주의 법칙이며 수백만 번 작동했으며, 당신에게도 작동해야 마땅합니다. 우주는 항상 당신을 돕기 위해 기다리고 있지만, 당신이 원하는 것을 알려줘야 합니다. 그렇지 않으면 우주는 당신과 함께

일할 방법이 없습니다. 일단 결정을 내리면 나머지는 우주가 알아서 처리해줄 것입니다.

결정을 내리는 순간 우주에 정보를 보내는 것이기 때문에 끌어당김의 법칙을 통해 올바른 정보를 다시 가져다줄 것이기 때문입니다.

사람들은 항상 올바른 정보나 기회가 오기를 기다리지만, 그것이 오도록 허용하지 않으면 올바른 정보가 오지 않을 것이라는 사실을 이해하지 못합니다. 원하는 것을 알려주지 않으면 우주는 당신에게 어떤 정보를 보내야 할지 모릅니다. **결정하는 순간, 당신은 우주 전체를 움직이게 합니다.** 이것은 과학적인 사실입니다.

결정을 내리기만 하면 올바른 정보를 얻을 수 있습니다. 그것은 직관의 형태로 올 것입니다. 디팍 초프라는 **"기도가 당신이 신에게 말하는 것이라면, 직관은 신이 당신에게 말하는 것"**이라고 말한 적이 있습니다. 직관에 민감하세요. 어떤 정보를 받더라도 즉시 행동에 옮겨야 합니다. 당신이 받는 정보는 우주의 관점에서 볼 때 완벽하기 때문에 완벽한 정보가 올 때까지 기다리지 마세요. 우주는 완벽한 우주이며 항상 완벽한 정보를 제공합니다. 한 현자가 "이 우주의 모든 것은 원래 그래야 하는 대로 정확히 그렇게 있다"고 말한 적이 있습니다. 직관을 통해 얻은 정보로 무엇을 하든 그것은 당신에게 최선의 이익이 되며, 하느님의 눈에는 완벽합니다. 실수가 있다면, 그것은 하나님이 당신이 무언가를 배우기를 원하기 때문입니다. 실패를 경험하지 않고 성공할 수 있는 사람은 아무도 없습니다. 우주는 그렇게 움직입니다. 잘못된 선택을 하는 것을 두려워하지 마세요. 어떤 구루가 이렇게 물었습니다. **"이것이 나의 길입니다. 당신의 길은 무엇입니까? 길은 정해져 있지 않습니다."** 길은 정해져 있지 않으니 당신만의 길을 걸으세요.

이제 명확하게 설명이 되었기를 바랍니다. 원하는 것을 선택한 다음 직관이 정보를 보여줄 때까지 기다렸다가 즉시 행동에 옮겨야 합니다. **"내 바람을 이루기 위해 다음에 할 일은 무엇인가?"**라고 스스로에게 물어보면, 필요한 정보는 완벽하게 끊임없이 제공될 것입니다. 나만의 방식으로 행동하면 성공은 보장됩니다.

결정, 직관, 행동, 이 세 가지 간단한 단계가 성공을 보장합

니다.

보너스. 진정한 목적에 따라 살기 위한

강력한 테크닉

사람들에게 "인생에서 진정으로 원하는 것이 무엇인가

요?"라고 질문할 때마다 사람들은 대개 다음과 같이 대답

합니다.

"인생에서 더 크게 성공하고 싶습니다."

"더 많은 돈을 벌고 싶어요."

"더 좋은 관계를 맺고 싶어요."

그러면 나는 그들에게 "성공이 당신에게 무엇을 줄까

요?", "돈이 당신에게 무엇을 줄까요?", "좋은 관계가 당신

에게 무엇을 줄까요?"라고 묻습니다.

그들은 항상 "좋은 기분"이라는 한 가지 대답으로 귀결됩

니다.

네, **"좋은 기분"을 느끼는 것은 모든 인간의 궁극적인 욕구**입니다. 좋은 기분을 느끼는 것만큼 중요한 것은 없습니다. 따라서 삶의 질은 한 가지, 즉 기분을 좋게 만드는 능력에 달려 있습니다.

지금 내가 그렇게 말했나요? 그렇습니다. 기분을 좋게 만드는 것은 하나의 능력입니다. 그것은 근육과 같아서 더 많이 사용할수록 더 강해집니다. 우리는 그것을 사용하거나 잃거나 둘 중 하나입니다. 안타깝게도 오늘날 대다수의 사람들은 이 강력한 능력을 사용하는 방법을 잊어버렸습니다.

오늘 몇 가지 강력한 기술을 알려드리겠습니다. 기술을 사용하면, 그것은 당신의 기분을 좋게 만드는 능력을 일깨울 것입니다. 삶의 질이 극적으로 향상되고, 엄청난 양의 에너지를 갖게 되며, 완전히 만족하는 삶을 살게 될 것입니다. 이 기술은 너무 간단해서 믿어지지 않을 것입니다. 딱 열흘 동안만 열심히 사용해보세요. 그리고 당신의 삶이 어떻게 변하는지 지켜보세요. 열흘 지나서 계속할지 그만할지를 결정하세요. 분명 중독되실 겁니다. 좋습니다. 자, 시작하겠습니다.

테크닉 1. 플립 스위치

좋은 기분을 느끼는 것이 중요하다는 것은 알지만, 일상에서 대부분 우리는 이를 잊은 채 살아갑니다. 매일 마주치는 '중요한 문제'를 처리하느라 '기분 좋고 스트레스 없는 삶'이라는 더 중요한 일을 망각합니다.

이 사실을 깨닫는다면, 이미 깊은 부정적 상태에 빠져 있다는 것을 알게 될 것입니다.

해결책은 하루 종일 "플립 스위치"를 하는 것입니다.

플립 스위치란 무엇인가요? 플립 스위치는 긍정적인 이미지, 기분이 좋았던 과거 순간 또는 기분을 좋게 해주는 상상의 사건을 마음에 담아두는 기법입니다. 몇 초간 유지하세요. 플립 스위치를 하는 순간, 이전의 모든 부정적인 감정이 상쇄됩니다.

자주 하는 것이 핵심입니다. 부정적인 감정이 커져서 생각을 지배할 때까지 기다리지 마세요. 괴물이 어릴 때 죽이세요.

하루 종일 실천하면, 동시에 삶의 변화를 보게 될 것입니다. 이것이 강력한지 아무리 강조해도 지나치지 않습니다. 직접 해보세요.

어떤 사람들은 이미지를 잡는 것이 어렵다고 합니다. 그런 분들에게 내가 드리고 싶은 대답은, 그냥 보는 척하라는 것입니다. 얼마나 선명하게 보느냐가 중요한 것이 아니라 얼마나 강하게 느끼느냐가 중요합니다.

테크닉 2. 마법의 순간 붙잡기

우리는 삶에서 일어나는 모든 일을 기억하지는 못하지만, 몇몇 순간은 기억합니다. 안타깝게도 대부분의 사람들은 불행한 순간만 기억하고 행복한 순간은 잊어버립니다. 이런 불행한 기억은 자신을 불행하게 만들 뿐이지만, 우리는 그것을 깨닫지도 못합니다.

이 기법의 목적은 그러한 마법처럼 행복한 순간을 의식적으로 기억하여 당신이 더 행복해지게끔 돕는 것입니다. 아주 간단합니다. 매일 밤 잠자리에 들기 전에 마법 일기를 쓰면서 하루 동안 있었던 모든 좋은 일들을 떠올려보세요. 즐거웠던 일, 뭔가 배웠던 일, 그리고 가장 중요한 것으로 자신이 성취한 것을 기록하세요. **일주일 간격으로 한 주 동안 이루었던 최고의 성취를 기록하고, 월 간격으로 한 달 동안의 최고의 성취를 적으세요.** 얼마나 많은 것을 성취했는지 놀라게 될 것이고, 전에는 왜 그런 것을 알아차리지 못했는지 의아해하게 될 것입니다.

열흘만 시도해 보세요. 삶의 긍정적인 변화를 사랑하게 될 것입니다. 기분이 좋아지는 능력이 향상될수록, 진정한 목적을 가지고 살아갈 수 있습니다.

테크닉 3. 모든 것에 감사하세요

사람이 가질 수 있는 가장 강력한 감정 상태가 무엇인지 아십니까? 바로 감사하는 마음입니다. 감사하는 상태에 있으면 우주의 근원 에너지와 일치하게 됩니다. 사물을 명확하게 볼 수 있게 됩니다. 어떤 장애물도 기회가 됩니다.

사람들은 대부분 우울하거나 불행하다고 느끼는데, 이는 자신이 가진 문제에 너무 많은 주의를 집중하고 자신의 삶에서 일이 많이 일어나고 있다는 사실을 잊기 때문입니다.

가족, 친구, 동료로부터 받는 사랑에 감사하세요. 어떤 식으로든 그들에게 감사하세요. 식사를 대접하거나, 선물을 사거나, 인사 한마디를 건네거나, 마음속으로 기도해 주세요.

자신과 내 몸에 감사하세요. 오랜 시간 동안 나를 지탱해 준 발에 감사하고, 세상의 아름다움을 보게 해준 눈에 감사하고, 우주의 아름다운 소리를 들려준 귀에 감사하세요. 몸의 모든 부분에 감사하세요.

우주가 당신에게 주는 모든 축복과 받고 있는 모든 축복에 감사하세요.

지금 가지고 있는 모든 것에 감사하면 훨씬 더 많은 것을 받게 될 것입니다.

테크닉 4. 베풂의 비밀

주는 대로 받을 것이다! 이것이 절대적으로 사실임을 보여주는 많은 증거를 볼 수 있습니다. 이 지구상에서 가장 부유한 사람들은 항상 가장 많이 기부하는 사람들입니다. 더 많이 줄수록 더 많이 받습니다. 빌 게이츠는 가장 많이 기부하기 때문에 지구에서 가장 부유한 사람입니다. 역사상 빌 게이츠만큼 많은 돈을 전 세계에 기부한 사람은 없습니다.

받고 싶은 바로 그것을 주어야 합니다. 돈을 원한다면 돈을 주어야 합니다. 사랑을 원한다면 사랑을 베풀어야 합니다. 행복을 유지하고 사랑을 느끼는 가장 좋은 방법은 다른 사람들이 행복하고 사랑받는다고 느끼게 하는 것입니다. 만나는 모든 사람에게 사랑을 베풀고, 간단한 인사나 칭찬 한마디가 큰 힘이 될 것입니다. 다른 사람에게 사랑을 베푸는 바로 그 순간, 우주의 법칙은 이미 사랑을 되돌려 받을 것을 보장하고 있으며, 가장 놀라운 방법으로 당신에게 돌려줄 것입니다.

한 가지 주의할 점은 무조건 베풀어야 한다는 것입니다. 상대방에게 보답을 기대하지 마세요. 모든 세부 사항은 우주가 조율할 것입니다.

사랑을 베풀면 사랑을 받을 수 있습니다!

테크닉 5. 나는 VIP

기분이 좋은 것만큼 중요한 것은 없습니다. 당신의 외부 세계는 당신 내부 세계를 직접 반영합니다. 바깥세상에서 기쁨과 풍요를 경험하고 싶다면, 즐겁고 풍요로운 내면세계를 가져야 합니다. 행복하고 풍요로운 삶을 살 수 있는 유일한 방법은 내면세계에서 행복과 번영을 경험하는 것입니다.
이보다 더 중요한 것은 없습니다.

이런 멋진 감정을 어디서 찾을 수 있을까요? 누가 당신에게 이런 좋은 경험을 줄 수 있을까요? 바로 당신 자신입니다! 당신은 인생에서 경험하는 모든 것의 창조자입니다. **오직 당신만이 자신의 감정을 통제할 수 있습니다.** 당신이 허락하지 않으면, 누구도 당신의 감정에 영향을 줄 수 없습니다. 하지만 내가 발견한 것은 사람들이 항상 환경에 힘을 주고, 다른 사람이 자신의 감정을 통제하도록 허용한다는 것입니다. 사람들은 삶에서 나쁜 일이 일어나고 다른 사람이 그들에게 나쁜 일을 했기 때문에 기분이 좋지 않습니다. 그리고 나쁜 감정의 원인으로 세상을 비난하고 다른 사람을 탓합니다. 그들이 알지 못하는 것은 자신이 허용하지 않는 한 다른 사람은 절대 당신 내면의 감정에 영향을 미치지 못한다는 것입니다.

오늘부터 감정을 완전히 통제하고 절대 다른 이에게 통제권을 넘기지 마세요. 당신의 감정을 100% 책임지고 있는 것은 당신입니다. 인생에서 매 순간 기분이 좋아지기로 결정하는 것도 당신입니다.

당신이 허락하지 않으면 누구도 당신을 기분 나쁘게 할 수 없습니다. 당신이 감정을 완전히 통제하고, 당신이 기분이 좋아지기로 결정합니다.

문제는 어떻게 기분이 좋아질 것인가입니다. 자신을 VIP, 즉 매우 중요한 사람으로 대하세요. 당신이 VIP에게 어떻게 할지 생각해 보세요. 그 사람을 행복하게 하기 위해 무엇이든지 하지 않겠습니까? 그 사람을 위해 뭔가 좋은 일을 하지 않겠습니까? 아니면 그 사람을 우선순위에 올려놓지 않을까요?

오늘부터 당신 자신을 VIP로 대하세요. 자신을 행복하게 하려고 무엇이든 하세요. 자신에게 선물도 사주고 식사도 대접하고 가끔 쉬는 시간도 가지세요. 당신은 그럴 자격이 있습니다. VIP이니까요. 누구도 당신보다 더 중요한 사람은 없습니다.

테크닉 6. 초점의 힘

이런 말을 들어본 적이 있을 것입니다. **"당신이 집중하는 것이 확장된다."** **"당신이 집중하는 것이 당신의 현실이 된다."** "당신은 하루종일 생각하는 바로 그것이다." 이 말들은 기본적으로 **"당신은 자신이 집중하는 것이 된다"**고 말하고 있습니다.

우리는 모두 번영하고 성취감을 주는 삶을 원하지만, 실제 여기에 초점을 맞추는 사람은 거의 없습니다. 사람들은 걱정하는 것에만 초점을 맞추며, 결국 얻는 것도 그것입니다. 당신은 당신이 집중하는 바로 그것을 끌어당길 것입니다. 이 보편적인 법칙은 결코 실패하지 않습니다. 그것은 100% 정확하게 작동합니다. 빈곤에 집중하면 빈곤을 얻을 수 있고, 재물에 집중하면 재물을 얻을 수 있습니다. 행복에 집중하면 행복을 얻을 수 있습니다. 슬픔에 집중하면 슬픔을 얻게 될 것입니다. 법칙은 완벽하게 작동합니다.

문제는 원하는 것에 집중하기 위해 의식적으로 무엇을 해야 하는가입니다. 우리는 오랜 세월 두려움과 걱정에 집중하도록 배워왔습니다. 답은 간단합니다. 우리는 부정적인 것에 초점을 맞출 때 사용했던 것과 같은 방법을 긍정적인 것에 초점을 맞추는 데 사용해야 합니다. 우리는 걱정하는 것에 집중할 때 무엇을 할까요? 의식적으로 또는 무의식적으로 스스로에게 말할지 모릅니다. 대부분의 경우, 자기 대화는 Q&A의 형태로 이루어지는 경우가 많습니다.

Q: "왜 나한테 이런 일이 일어나지?"
A: "내가 멍청하기 때문에?"
Q: "나는 왜 그렇게 멍청한 거지?"
A: "내가 바보이기 때문이야."

이런 식의 독백을 나눈 적이 있습니까? 이것을 다루는 방법은 이것을 인식하고 같은 방식으로 긍정적인 것에 주의를 집중하는 것입니다. 자신에게 힘을 주는 질문을 하세요. 항상 기분이 좋아지는 답을 얻을 수 있는 방식으로 질문하세요. 상황이 아무리 좋지 않다고 해도 자기 자신에게 "여기서 좋은 점이 뭘까?", "이것에서 나는 무엇을 배울 수 있을까?"와 같이 질문하세요.

끊임없이 자신에게 물어보면, 항상 배울 수 있는 것, 놀라운 것을 찾을 수 있습니다. 그러면 기분이 더 좋아질까요? 그렇다고 믿는 게 좋을 것입니다.

지금부터 아무리 상황이 나쁘더라도 항상 긍정적인 방향으로 주의를 돌릴 수 있는 질문을 찾아내겠다고 다짐하세요. 당신은 당신이 집중하는 대로 됩니다!

테크닉 7. 경쟁하지 않기

우리가 느끼는 실망과 나쁜 감정의 대부분은 경쟁이나

비교에서 비롯됩니다. 다른 사람들이 나보다 더 잘하는 것을 보기 때문에, 우리는 자신에 대해 기분이 나빠집니다. 자기 약점에 주의를 집중하는 한, 결코 자신에 대해 좋은 감정을 느낄 수 없습니다. 다른 사람이 나보다 더 잘생기거나 더 아름다워서 기분이 나쁘고, 다른 사람이 나보다 더 많은 돈과 더 좋은 차, 더 좋은 집을 가지고 있어서 기분이 나쁘고, 남은 승진했는데 나는 하지 못했기 때문에 기분이 나쁘고, 다른 사람이 나보다 더 행복하다는 이유만으로 기분이 나쁩니다. 다른 사람과 자신을 비교하는 한, 항상 나보다 나은 사람을 찾을 수 있습니다. 그리고 결코 만족하지 못할 것입니다.

끝없는 경쟁의 덫에 빠지는 대신, 우리 자신을 자유롭게 하고 우리만의 방식으로 삶을 살아가는 것은 어떨까요? 다른 사람이 나보다 더 잘하는 것에 집중하고 나 자신에게 자괴감을 느끼는 대신, 다른 사람에게서 배우고 기술을 향상시키는 데 집중하는 것은 어떨까요? 인생은 경쟁이 아니라 성장에 관한 것입니다. 자기 성장에 주의를 집중하고 최선을 다하면 마침내 큰 보상을 받게 될 것입니다.

2004년 아테네 올림픽에서 중국 선수 류시앙은 110미터 남자 허들 경기에서 중국 최초로 금메달을 획득했습니다. 그는 올림픽에서 중국의 새로운 역사를 썼습니다. 세계선수권 4회 우승자인 앨런 존슨이 예선에서 탈락하면 경기력에 영향을 미치지 않겠느냐는 질문에 그는 "전혀 그렇지 않다"며 "나는 내 계획에 따라 최선을 다해 경기에 임할 것"이라고 답했습니다. 상대가 누구든 상관하지 않고 그저 최선을 다한다는 것이 그의 마음가짐입니다.

경쟁은 잊고 최선을 다하세요!

테크닉 8. 더 높은 자아와 소통하기

오늘날 우리는 일상적인 활동에 너무 바쁘게 살아가고 있습니다. 심지어 우리가 정말로 누구인지 망각하기까지 합니다. 우리 자신을 위한 시간을 내서 더 높은 자아와 소통할 필요가 있습니다. 이를 위한 두 가지 방법이 있습니다.

첫 번째는 자연입니다. 매주 여유 시간을 찾아 공원을 산책하거나 숲에 가보세요. 자연의 소리에 귀를 기울이고 자연의 힘을 느껴보세요. 이 아름다운 자연의 푸르름을 보고 자연을 즐기세요. 자신이 안전하며 대자연과 가까워졌다는 것을 느껴보세요.

　더 높은 자아와 연락할 수 있는 두 번째 방법은 명상입니다. 명상에 대한 오해가 너무 많아서 사람들은 명상을 정말 복잡하게 생각하는 경향이 있습니다. 명상은 쉽게 할 수 있으며 누구나 할 수 있습니다. 가장 간단한 방법은 조용히 앉아 숨을 세는 것입니다. 주의가 흐트러질 때마다 다시 호흡으로 돌아오세요. 명상의 목적은 의식을 맑게 해서 잠재의식에 접속하는 것입니다. 호흡에만 집중하고 숨을 헤아리기. 이 간단한 명상을 실천해보세요. 많은 이점이 있을 것입니다.